Laurent Cresp

Le chien du poney club

Castor Poche
Flammarion

ISBN : 2-08-162880-5
ISSN : 0993-7900

C'est moi Pato,
le chien du poney club.
Sous mes gros poils,
je suis le plus gentil des chiens.
Je suis responsable et de la sécurité
et du bon ordre.
En réalité, c'est moi qui fais tout !

J'habite dans la paille
chaude et dorée du hangar.
Quand je monte en haut du tas,
je peux surveiller toute la cour
et voir aussitôt ce qui ne va pas :
c'est un poste idéal
d'observation « stratégique » !

Le matin, c'est moi
le premier levé !
Il m'arrive même
de réveiller le coq !

J'accueille
toujours avec bonne humeur,
Arlette, ma maîtresse.

J'accompagne Arlette
dans sa tournée d'inspection.
Elle donne à manger
aux chevaux et aux poneys.

Certains ne m'aiment pas car
je suis le « chouchou » d'Arlette.
Alors prudent, de la porte du box,
je surveille les opérations.

C'est le jour du maréchal-ferrant.
Il cloue des fers aux sabots
des chevaux et des poneys
pour qu'ils ne les usent pas
sur les cailloux des routes.

Je vais vite cacher dans le fumier
quelques bouts de corne.
Personne ne viendra
me les prendre.
Je les mâchonnerai plus tard !

Je profite d'un moment
de calme pour aller jouer
avec mon ami Zorro.
Il me court après...

... et je m'accroche à sa queue...
Quelle vitesse ! Quelle ivresse !
Mais voici déjà les enfants...

Les enfants viennent
tous les mercredis.
Il faut que je leur montre
le chemin des box.

Ils ne savent pas tous lire
le nom du poney
qu'ils doivent monter !

Il me faut aussi les surveiller
pendant qu'ils brossent
et sellent les poneys.
Attention, ne confondez pas
l'étrille et le cure-pied !

étrille
cure-pied

De mon tas de foin, je surveille
les poneys qui tournent
dans la carrière. Oh la ! Oh! la la...
mais que se passe t-il ?
Mascotte a lancé une ruade...

... et envoyé en l'air Julien.
Heureusement,
le cavalier n'a pas de mal.

Mais Mascotte en a profité pour se sauver.

Je suis là, les enfants !
Ne vous inquiétez pas !
Suivez-moi tous ! En avant,
je sais où elle est partie ! Elle
prend toujours le même chemin...

... le plus long et le plus dur aussi,
celui qui grimpe !

« Ne vous en faites pas.
Attendez-moi là, je la rattrape
et je reviens avec elle
tout de suite ! »

Cette maudite bête
est impossible !
Quand va t-elle ralentir ?

Ah, enfin je t'ai rattrapée !
Quoi, Mascotte ?
On ne veut plus rentrer ?
Allez, stop ! Demi-tour, vilaine !
Allez, dépêche-toi !
Sinon je te mords
les jarrets et les talons.

Mascotte paraît docile, mais
je me méfie et je la surveille
du coin de l'œil !

Il ne faudrait pas
que la fantaisie lui prenne
de nous fausser
à nouveau compagnie.
Attention, Julien,
ne lâche pas son licol !

Arlette ne s'inquiète jamais.
Elle nous attendait.
Pour me récompenser
elle fait un beau discours,

mais j'aurais préféré
qu'elle me donne
un os !

La nuit est tombée. Les volets
et les portes sont bien fermés.
Ma journée est terminée.
Je vais pouvoir dormir,
mais d'un œil seulement,
car même en dormant
je surveille.

Aubin Imprimeur Ligugé, Poitiers – 08-1989 – Flammarion et Cie, éditeur (N° 16090) – Dépôt légal : septembre 1989 – N° d'impression P 32107